CHEMIN DE CROIX

ISBN 2-84024-123-4
© Editions des Béatitudes
Société des Oeuvres Communautaires, 1998
Burtin, F - 41600 Nouan-le-Fuzelier

Illustration de couverture : © CIRIC

Guy Gilbert

CHEMIN DE CROIX

6e édition

(21e mille)

ÉDITIONS DES BÉATITUDES

Si tu souffres,
Si tu es dans la merde,
Si tout va mal pour toi,
Si ton amour s'est barré,
Si ton meilleur ami t'a trahi,
Si tu es malade,
Si tu es handicapé,
Si tu es seul,

Si... (mets ici ce que tu vis de dur),

alors, ensemble, on va faire ce Chemin de Croix.

Si tout va bien pour toi,
Si tu as un amour et un travail,
Si ta forme est superbe,
Si l'horizon s'éclaire pour toi,
Si ta vie est un conte de fée,

je t'en prie, faisons ensemble le Chemin de Croix.

T'es pas con. Tu sais bien que la souffrance peut t'atteindre n'importe quand et n'importe où.

Vis ce Chemin de Croix avec tous ceux et celles qui n'ont pas ta chance.

La souffrance, je connais...

Mon métier d'éducateur et ma mission de prêtre me mettent, depuis trente-deux ans, au coeur de la souffrance humaine et je pète de joie.

"Anormal, ce mec", diras-tu.
"Non, pas du tout."

Car je vois toujours se profiler la flamboyance de la Résurrection.

Et je sais qu'il me faut passer par la souffrance.

Mystère total, pour moi d'abord.

Mon métier d'éducateur est de soulager la souffrance.

Ma mission de prêtre est de donner le pardon du Christ qui efface, magnifie, purifie toute souffrance.

D'où ma joie !

Ma force invincible, c'est de croire plus que tout qu'Il a souffert au-delà de l'imaginable pour moi, pour toi.

Ça me tient.
Ça me remet debout toujours.
Ça me donne une puissance vitale qui dynamise mes vieux os de soixante-deux ans.

Aucun découragement durant cette longue route, dans ce Chemin de Croix permanent où l'Église m'a demandé de vivre au contact de jeunes
qui souffrent au-delà du possible.

Un chrétien doit trouver dans la souffrance et l'épreuve des motifs

d'aller plus haut,
plus loin,
plus profond. Avec le Christ.

La Croix est l'emblème du chrétien.

"Répugnant", disent ceux et celles qui voient simplement un mec torturé achevant sa vie dans d'atroces souffrances.

Croix sublime qui me donne chaque jour la force pour me dépasser.
A aller de l'avant, en voyant sans cesse en moi, en toi, cette lumière de la Résurrection qui m'appelle, vingt-quatre heures sur vingt-quatre, à donner tout, pour bâtir déjà ici-bas, au milieu de multiples croix, le paradis de l'Amour.

J'y cours, toi aussi.
Nous y allons tous et toutes.
Ce Chemin de Croix nous y aidera.

Avec un de mes loubards super baraqué, je me baignais dans une piscine. D'un seul coup j'aperçois, tatouée sur son dos musclé, une magnifique page d'Évangile.

Autour d'une croix qui couvrait entièrement ses muscles d'Apollon, on pouvait lire distinctement : "Il a souffert avant moi."

Je lui en ai jamais parlé.
Mais d'un seul coup, sachant son parcours terrible de combattant où je l'avais suivi de prison en prison, je comprenais qu'il avait appris, à travers une enfance et une adolescence terrifiantes, que sa souffrance n'avait jamais été inutile. Parce qu'il l'avait portée avec Celui qui lui avait dit, sans doute dans le secret de son coeur et d'une cellule, qu'il était l'Amour et qu'il était toujours là quand il souffrait, désespérait et n'en pouvait plus. Là, en priorité absolue.

Le Chemin de Croix n'a pas d'autre but que...

... de suivre le Christ dans son calvaire.
... et d'aller au-delà de cette souffrance insupportable.

Allons au-delà ensemble.

Et tu verras au bout la lumière qui te transfigurera...

PREMIÈRE STATION

JÉSUS EST CONDAMNÉ À MORT...

Ce Mec avait tout donné, tout offert.

Il avait parlé d'Amour,
vécu l'Amour,
guéri des malades et des coeurs innombrables.

Les petits, les pauvres, les chômeurs, les SDF, les étrangers, les sans papiers...
c'était sa priorité.

Et on l'accuse de toutes les saloperies.

Il était tout simplement en priorité du côté des perdants.

Et ça, les curés de son temps, les juges, les flics le trouvaient intolérable.

Pas besoin d'ajouter que ceux et celles qui avaient l'argent et la puissance trouvaient absolument aberrant que le Christ clame :

"Bienheureux les pauvres, les exclus, les oubliés, les rejetés de la terre, parce qu'ils seront les premiers dans le Royaume de Dieu."

Alors direction la boucherie.

"On va te faire passer l'envie de penser que le plus petit de tous les humains est le plus grand aux yeux de ton Père."

Prions pour les victimes d'abord.

Ceux et celles qui ont été agressés, violés, volés, traumatisés à vie. Ils sont les préférés de Dieu.

Prions pour tous ceux et celles condamnés à mort dans le monde.

Et qui attendent des jours, des mois, des années, dans des cellules, la piqûre qui mettra fin au supplice qui, selon nous, leur fera expier leur forfait.

Ils ont commis souvent des crimes horribles, OK !

Mais attendre ainsi leur supplice est inhumain.
Je suis absolument contre la peine de mort sur terre.
Le pire des criminels, quoi qu'il ait fait, est fils ou fille aimé(e) de Dieu.

Prions pour ceux et celles qui savent, à travers la maladie terrible qui les a frappés, que l'échéance est programmée dans le temps.

Prions spécialement pour les jeunes atteints du sida.

Rien de plus terrible que cette mort inéluctable quand on a 20 ans et qu'on apprend, après avoir fait l'amour, que ce moment merveilleux signe irrévocablement la fin d'une vie.

DEUXIÈME STATION

JÉSUS EST CHARGÉ DE SA CROIX

Imaginez cette croix lourde qu'il porte.

Il avait été battu auparavant.

Son sang avait coulé longtemps.

Des épines d'Orient particulièrement longues avaient été enfoncées sur sa tête.

Épuisé, il doit porter lui-même l'instrument de son supplice.

"Il portait nos maladies (cancers, handicaps multiples, souffrances).

Il s'était chargé de nos douleurs (de coeur, d'égoïsme, de racisme, de haine, de refus de pardonner...)." (Isaïe 53, 4)

Il a tout porté. Toi, moi.

A chaque souffrance que tu vis, Il est là, en toi, sans problème.

Si on le sait, on la porte avec Lui. Et c'est merveilleux.

Si on ne le sait pas, on se révolte.
Et c'est dingue.

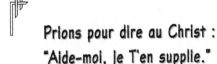

**Prions pour dire au Christ :
"Aide-moi, je T'en supplie."**

Et n'oublions jamais.
Il nous donnera toujours la force.

Il suffit de l'appeler : "Viens, je t'en supplie."

Et puis cette phrase qui m'a donné toujours une force pas possible :

'Déchargez vous sur Lui de tous vos soucis.
Il prendra soin de vous." (1 Pierre 5. 5)

Quand on sait que le Seigneur nous donnera toujours la force, quoi qu'il arrive, dans quelque tentation que ce soit, dans toute souffrance qui nous arrive, on peut vivre apaisé, serein, avec la joie de savoir que notre croix...

... Il la porte toujours avec nous.

Troisième Station

Jésus Tombe Pour La Première Fois

Normal, Il est épuisé.

Mais tout le monde s'en fout.

Qu'il aille au supplice debout ou à genoux, qu'on en finisse.

Il est écrasé par nos saloperies, tout simplement.
Il faut le savoir.

Sur terre, notre vocation c'est l'Amour.

Tout ce qui va contre l'Amour nous fait nous écrouler.

Prions pour nous d'abord qui tombons si facilement.

Quand je vois, la nuit, ma journée écoulée je me dis souvent :

"Pauvre de moi, je suis encore retombé dans les mêmes conneries."

Chute après chute, à condition que tu les mettes face au Seigneur, tu verras, elles diminueront.

Parfois même, le défaut que tu bûches avec ténacité devient ta qualité dominante.

Et puis, Il te connaît tellement mieux que toi-même.

Déverse-lui tout, soir après soir. Tu verras le punch que tu auras après.

QUATRIÈME STATION

JÉSUS RENCONTRE SA MÈRE

Imagine sa Mère.

Elle l'a porté, fait, cajolé, bercé.

Elle l'a vu dire ses premiers mots,
jouer avec ses copains,
se blottir contre elle.

Elle a vu l'enfant merveilleux grandir
et l'adolescent s'épanouir.
Émerveillée.

Elle a suivi l'adulte dans son chemin
triomphal et mystérieux.

Et son Petit est là, éclaboussé de
sueur et de sang.

Prions pour toutes les mères crucifiées, penchées sur les lits de leurs gosses accidentés, malades, handicapés.

Prions pour les mères épouvantées par toutes les drogues qui rendent fantômes leurs gosses et terrifiant le calvaire de ceux et celles qu'elles ont portés et qui s'enfoncent dans la nuit sans fond des rêves inaccessibles et qui tuent...

Prie pour ta mère que tu ne regardes plus, ne vois plus.

Et demande au Seigneur de retrouver en toi cette merveille qui sauvera tout : ton affection, quoi qu'il arrive, vis-à-vis de ceux qui t'ont fait.

Cinquième Station

Simon De Cyrène Porte
La Croix Derrière Jésus

Un mec revenait des champs.
Les flics l'appellent.
"Ce Jésus n'en peut plus. Aide-Le."
Il s'exécute.

A travers Simon de Cyrène, pense à tous ceux et celles qui t'ont porté, aidé, soutenu.

Toute ta vie est jalonnée de Simon de Cyrène.

Personne peut dire : "Jamais quelqu'un dans ma vie m'a aidé à porter mes problèmes."

Aie toujours au fond du coeur une reconnaissance immense pour celui ou celle qui t'a donné ce coup de pouce,
qui t'a sorti du fossé,
et permis de croire que, sans les autres, on est foutu.

"Portez les fardeaux les uns des autres et vous accomplirez la loi du Christ." (Galates 6, 2)

Prions pour ne jamais oublier que le mot "reconnaissance" est un des plus beaux noms de l'amour.

Sache dire merci.

Une vie qui est pleine de "merci" est une vie rayonnante.

Prions pour ne jamais penser que, seul, on se démerde sans problèmes.

Porte les autres. Ils te porteront.

Si tu crois que seul tu te suffis,
tu découvriras vite ton isolement et les rancoeurs qui t'habitent.

La solitude terrible où l'on s'enferme alors nous détruit.

Sixième Station

Véronique Essuie
La Face De Jésus

Les femmes savent les gestes
d'amour mieux que quiconque.

Le visage ravagé du Christ l'a vrillée
jusqu'au fond du coeur, Véro.

Alors avec la tendresse infinie qu'une
femme sait donner,
elle essuie le sang et la sueur de Jésus.

Prions pour que nous inventions toujours les gestes d'amour qui sauvent.

Toi qui parfois as peur de faire tel geste, fonce et fais-le.

On en a ras-le-bol d'entendre des paroles.

Certains gestes suffisent infiniment plus que des mots.

L'autre jour, lors d'un terrible accident, un mec avec moi ne sachant que faire, je lui ai dit :
"Serre la main du mec au volant."
L'accidenté, les jambes broyées, a serré la paluche de mon gars au point qu'il lui a été difficile de retirer sa main lorsque les sauveteurs sont arrivés.

Le geste témoigne tellement plus que les paroles.

Septième Station

Jésus Tombe
Une Deuxième Fois

Le calvaire est loin.
L'épuisement du Christ grandit.

Notre existence terrestre est
courte et longue à la fois.

Les chutes émaillent nos vies.
Les épreuves tombent drues.

Il est déjà tombé deux fois.
Il nous relèvera mille et une fois.

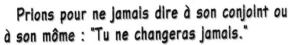

Prions pour ne jamais dire à son conjoint ou à son môme : "Tu ne changeras jamais."

On peut tuer ainsi l'être aimé.

Pense toujours qu'après la chute on peut toujours se relever.

Et puis regarde-toi.

Si t'es clair avec toi, tu sais bien qu'il est facile d'enfoncer l'autre qui tombe, alors que tu retombes toi-même souvent dans les mêmes ornières.

Si tu te trouves toujours de bonnes excuses pour te pardonner, essaie de les trouver pour les autres.

Tu bâtiras alors un paradis autour de toi.

Les êtres de lumière dont nous manquons tragiquement, ce sont d'abord des êtres de miséricorde.

Huitième Station

Jésus Rencontre
Les Femmes De Jérusalem

Elles sont toujours là.

Les mecs se sont tous barrés. Pierre en tête.

Jean seul est resté.

Qui reste lorsque tout va mal pour toi ?
Pas grand monde.

Et toi, que fais-tu vis-à-vis de celui ou celle qui est en pleine déprime ?
Vas-tu toujours vers le dernier de la classe ou vers le plus brillant, la plus attirante ?

Jésus devait être émerveillé, dans le cauchemar dingue qu'il vivait, de voir ces yeux d'amour qui l'accompagnaient jusqu'au bout.

Qui est la priorité de ta vie ?

Ton regard fraternel va d'abord vers qui ?

Prions pour demander au Seigneur une priorité quotidienne pour celui ou celle qui est différent, malade, seul, dépressif, violent.

Quand on sait que le regard du Christ va en priorité absolue pour le plus petit, le plus démuni,
on ne peut que Lui demander Ses yeux d'Amour.

Demande-Lui chaque matin.

Il te donnera Son regard.

Neuvième Station

Jésus Tombe Une Troisième Fois

Y'en a marre qu'il retombe encore
le Christ !

Et pourtant, il nous fait un sacré signe.
Il est humain comme moi, comme toi.
Il n'en peut plus comme moi, comme toi.

Alors mets-toi à genoux, comme Lui.

Et tu comprendras qu'Il est,
jusqu'à la fin des temps,
du côté des souffrants.

Prions pour que le Christ nous apprenne à pardonner "77 fois 7 fois" comme Il nous le dit dans l'Évangile. C'est-à-dire à l'infini.

Nos vies sont faites de pardons à donner et à recevoir. Quand on a compris ça, on a tout compris.

Ce verdict terrible de l'Évangile est à méditer sans cesse : "Tu seras pardonné un jour à la mesure de ton pardon donné sur terre." Implacable.

Sois un être de pardon.

Pardonne inlassablement.

Pas connement.

Mais en laissant à l'autre un espace d'expiation.

Et toi-même, vide tes poubelles intérieures souvent devant un prêtre, pécheur comme toi, mais qui a reçu la formidable possibilité, au Nom du Christ, de te pardonner tes péchés.

C'est le sacrement vertigineux de la réconciliation.

Vas-y joyeusement.

Dis tout ce qui est moche.

Et tu sortiras neuf comme un poussin. Poussin que la main de Dieu, attendrie par ta faiblesse, portera aux plus hauts sommets.

Dieu a besoin de premiers de cordée.

DIXIÈME STATION

JÉSUS EST DÉPOUILLÉ
DE SES VÊTEMENTS

A poil. Tout nu.

Pour tout être, ce dénuement est terrible.

Tous les prisonniers que je connais ont toujours été blessés intérieurement quand, au commissariat comme en entrant en prison, ils doivent se dépouiller de tout.

Je l'ai vécu un jour, dans une prison de Belgique où j'allais visiter des prisonniers. Un surveillant m'a fait enlever tous mes vêtements puisque son zinzin électronique résonnait à chaque fois que je repassais sous le porche de contrôle.

J'étais furieux d'abord. Et puis j'ai pensé à tous ceux et celles qui, dans les camps nazis, n'avaient plus d'identité, puisque c'est nus qu'on les amenait à l'abattoir.

J'ai pensé aussi au vieil homme qui empuantissait ma carcasse humaine.

Cet homme nouveau que nous avons à revêtir sans cesse nous pousse à un combat quotidien.

Prions, comme saint Paul, pour demander seulement que Dieu nous recouvre du manteau de l'Amour.

Jamais aucun être humain ne pourra t'enlever ce manteau-là.

ONZIÈME STATION

JÉSUS EST CLOUÉ
SUR LA CROIX

Tant d'êtres sont cloués sur des lits d'hôpitaux.

Je pense particulièrement à tous les jeunes sortant de boîtes les samedis soirs et enroulés autour d'un platane, suite à l'abus d'alcool ou de drogue.

C'est la plus grande cause de mortalité des jeunes de chez nous.

Je pense aux handicapés,
aux malades grabataires,
aux anciens dont la carcasse peu à peu ne répond plus.

Je pense aux blessés de l'amour, divorcés, séparés.

Les plus terribles clous sont ceux qui percent notre coeur.

Dire un jour à un être : "Je t'aime",
et puis le voir partir avec un(e) autre
est la blessure suprême qui nous vrille
sans cesse.

Partir soi-même après le "Je t'aime"
qu'on a si souvent dit,
c'est le clou qu'on enfonce à vie, à
l'autre.

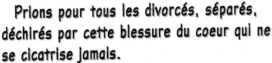

**Prions pour tous les divorcés, séparés,
déchirés par cette blessure du coeur qui ne
se cicatrise jamais.**

Que notre tendresse aille vers eux.

Ne les jugeons jamais.

Sinon, c'est d'autres clous que l'on enfonce.

Douzième Station

Jésus Meurt Sur La Croix

Il est mort comme nous mourrons.

L'heure viendra.

Ce deuxième berceau qui est la mort
doit être attendu avec sérénité,
médité avec passion,
tout au long de notre vie.

Pour cela, il faut vivre passionnément
aujourd'hui.

J'ai 24 heures pour ça.

Si on pratique cette volonté de ne
vivre pleinement que ses 24 heures en
se foutant totalement de hier et se
fichant éperdument de demain,
on peut attendre avec un maximum de
paix l'ultime rendez-vous dont le
Seigneur sait, seul, la date et l'heure.

Ce rendez-vous m'a toujours fasciné.

Oh ! que oui, je bouffe un max le
temps qui m'est donné.

Ça ne peut que me mettre en état
d'urgence pour aimer pleinement
aujourd'hui, comme si tout dépendait
de moi.

En sachant que, seuls, ma prière et
l'amour offerts dynamiseront toute
minute, toute seconde.

"Seul l'amour nous rend invincibles",
a dit un jour Jean-Paul II.

Cet Amour radieux vers lequel je vais
et que j'anticipe maintenant
me permet de vivre ici-bas
dans une joie que nul ne m'ôtera.

Cette dynamique peut illuminer
ceux et celles que l'on côtoie et qui
cherchent dans la nuit le sens de leur
existence.

Prions pour demander chaque jour la grâce de bien vivre nos 24 heures.

C'est le sens de la phrase superbe du Notre Père :

"Donne-nous aujourd'hui le pain du jour."

Treizième Station

Jésus Est Détaché
De La Croix
Et Remis À Sa Mère

Tout est fini.

Marie reçoit les restes écartelés de son Fils.

Au dernier instant, Il l'a confie à Jean :
"Voici ta Mère."

Et à Marie Il a ajouté :
"Voici ton fils."

On est lié à Marie dans cet ultime instant.

Prions Marie.

Elle a une puissance inégalable auprès de Dieu.

Elle saura, si on la prie inlassablement,
faire vaciller le coeur de son Fils.

N'aie pas peur d'égrener chaque jour ton chapelet.

Méditée, cette prière a une force pas possible.

Ne t'en prive pas. C'est une nourriture d'une force incalculable.

De plus, aller de temps à autre sur les lieux où Elle
nous a fait signe est, pour un chrétien,
source de grâces inépuisables.

QUATORZIÈME STATION

JÉSUS EST MIS AU TOMBEAU
ET RESSUSCITÉ
LE TROISIÈME JOUR

Voilà le Signe qui nous sauve
et donne à chaque chrétien
la joie parfaite sur terre.

La Résurrection est pour nous le
Signe absolu que la Croix est le
passage obligé pour aller vers la
lumière.

Bûche ta foi.
Bûche tes certitudes.
Ne mélange pas tout.

Combien de jeunes, dans un
ésotérisme navrant, mélangent
réincarnation et Résurrection.
Tout est dans le Credo.
Médite-le.
C'est l'écrin qui renferme le mystère
de Dieu et de son Église.

Tu es unique.

Dieu t'as créé pour l'éternité.
Enfermé sur terre dans ta carcasse
humaine, tu dois t'en servir pour bâtir
un monde d'amour.

C'est ta seule issue.

Nous sommes tous et toutes appelés,
sur la terre...
    ... à témoigner de l'Amour de Dieu.

C'est dans l'Eucharistie
que tu puiseras à l'infini la force du
Christ offert par Amour par son Père.

Comme prêtre
je ne connais pas de plus grands
moments que de faire descendre le
Christ dans mes mains nues.
    Et de te Le donner.

Le Christ en toi, tu n'as pas une
minute à perdre...

Ta vie ne peut être alors que don.
Ta vie d'abord.

"Le muscle que l'Église fait travailler
en priorité est la langue.
Ce devrait être le dernier muscle à
utiliser",

a dit bellement et cruellement le
Cardinal Daneels.

Si tu décides,

le temps de la terre,

de vivre le Christ en toi,

tu seras l'homme ou la femme de la
Passion et de la Résurrection.

Et si tu veux avoir une gueule de ressuscité, alors médite cette phrase.

Je n'en ai jamais trouvé de plus belle et de plus militante :

Vis de telle façon
qu'à ta seule façon de vivre

on pense que c'est impossible
que Dieu n'existe pas.

Guy GILBERT
Prêtre éducateur

Table des Matières

- RAYONS JEUNES -

aux Editions des Béatitudes

Ton Bonheur, c'est quelqu'un - Floris

298 p., 93 FF - bande dessinée

La plus grande découverte que tu puisses faire : le bonheur que nous cherchons tous à fond dans la vie... n'est pas une chose, une idée, une technique...

C'est quelqu'un qui nous aime d'un amour infini ! Lui dont le nom et le visage font frémir notre coeur d'allégresse : Jésus, le Christ !

Une bouffée d'air frais en cas d'asphyxie - A garder sur sa table de nuit pour les soirs de cafard.

"extrait de la page 269"

Réveille ton coeur - Floris

180 p., 30 FF - bande dessinée

La vie de saint Silouane en bande dessinée. Dans un langage simple et actuel, nous sommes plongés au coeur de l'Orient chrétienne. Une leçon d'humour, de foi et d'espérance.

Achevé d'imprimer sur les presses de

BUSSIÈRE

GROUPE CPI

à Saint-Amand-Montrond (Cher)
en octobre 2001

N° d'impression : 15529.
Dépôt légal : avril 1998.

Imprimé en France